nickelodeon

汪汪队立大功儿童安全救援故事书

热气球比赛

美国尼克儿童频道 / 著
安东尼 / 译

天地出版社 | TIANDI PRESS

今天是一年一度的“市长杯”热气球比赛，冒险湾的古威市长有点儿紧张。

“我真后悔来参加比赛。”她抱怨道，“看来，我必须克服自己的恐高症了！”

莱德安慰她说：“别担心！我会在热气球上帮助您的！把热气球铺展开吧，狗狗们！”

“收到！”小砾答道。

小砾和阿奇正在展开满是灰尘的热气球。

“哦，天哪！这也太……阿嚏！”阿奇边干边打喷嚏。

当止住喷嚏准备继续工作时，他突然大喊道：“糟了，热气球上有个洞，这可怎么办？”

古威市长很沮丧：“这下云雾谷的哈丁格市长又要胜出了。”

“别担心！”莱德说，“我们会让您顺利参加比赛的。没有困难的工作，只有勇敢的狗狗！”

莱德随即取出平板电脑，通知其余汪汪队成员马上集合。

狗狗们迅速在塔台集合完毕。“报告莱德队长，可以开始行动了！”阿奇大声说。

莱德向狗狗们说明了关于古威市长和热气球的情况：“为了比赛我们要尽快修好气球。灰灰，能在你的回收卡车里找到修补气球的东西吗？”

“旧物别丢掉，还有大用处！”灰灰答道。

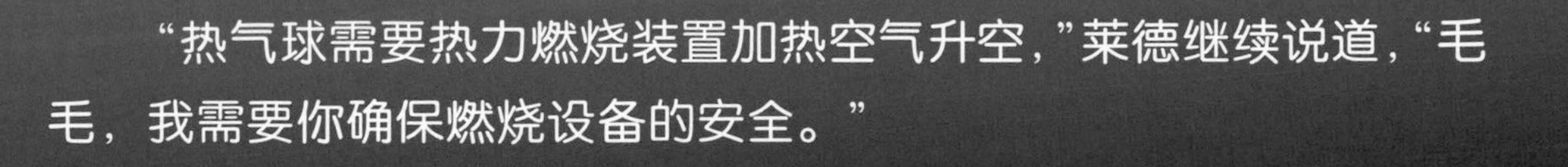

“热气球需要热力燃烧装置加热空气升空，”莱德继续说道，“毛毛，我需要你确保燃烧设备的安全。”

“火力全开！”毛毛叫道。

狗狗们迅速来到市政广场。灰灰快速检查了一下热气球的破洞，说："我的卡车里恰好有合适的补丁！"

"燃气罐那边情况怎么样了？"莱德问。

"得确保燃气不会泄漏。"毛毛回答。他用鼻子使劲嗅了嗅说："嗯，没有闻到燃气的味道。"

灰灰从路马的旧拖伞上剪下一块胶皮，把它粘到热气球的破洞上。

“干得漂亮！”莱德说，“这块补丁正合适！”

莱德放下控制杆，热气缓缓注入热气球内。其他的参赛热气球也集结到了出发点，比赛马上开始！

“是时候克服我的恐高症了！”市长大喊，“我要赢得比赛！”

她使劲挥起拳头给自己加油，却碰到了热控杆，热气翻滚起来，热气球立刻腾空而起。

毛毛赶紧冲过来，想跳起来咬住缆绳使热气球停下来，但它还是飞了起来，把毛毛也拽上了天空。热气球越飞越高。

突然，绳子从毛毛嘴里滑落，眼看他就要掉到地上了。

还好莱德接住了毛毛。

“谢谢你，莱德！”毛毛说道。

比赛开始了，现在已经没有时间了，莱德只能通过平板电脑呼叫天天。

“古威市长的热气球在没有载上我的情况下就升空了！我需要你用直升机把我送上去。”

天天收到消息后赶紧跑出狗狗之家，冲进了直升机。“狗狗要飞上天啦！”她兴奋地叫道。

天天给莱德扔下了一个安全带，等他扣紧后，拉着他飞上了天空。

“我一定会把你送到热气球上的。”她说。但是他们必须得加快速度了，因为古威市长的热气球已经接近海豹岛的灯塔了。

很快，莱德就到达了热气球的载人篮筐边。

古威市长帮助莱德爬上了热气球。他迅速加大火力，操控热气球及时避开了灯塔。

“没事了，天天。”莱德一边说，一边解开了安全带。

“加油！一定要赢！”天天的声音逐渐远去。

“现在没问题了！古威市长，您准备好赢得比赛了吗？”

市长信心十足地说：“我们一定会赢！”

说完，他们立刻加快速度全力追赶前面的热气球。

在莱德的操控下，热气球很快就追上了哈丁格市长。

“全速前进！”莱德喊道。

“你们别高兴得太早，我从来没有输过，况且我还没有开始发力呢！”哈丁格市长不服气地说。

在热力急速的作用下，莱德和古威市长的热气球呼啸而过，瞬间超越了哈丁格市长。

“快看，前面是一座高山！终点就在山的那一边！”古威市长喊道。

“风越来越大了！这对我们赢得比赛非常有利！”莱德说。

“再高一点，再快一点！”古威市长激动地说。

　　莱德操控着热气球顺着风向加速攀升，他准备翻越前面的高山，不过哈丁格市长的热气球也在盘旋加速，并逐渐超越了莱德他们。

当热气球出现在人们的视线里时，在终点线上等候的狗狗们都大声欢呼起来。哈丁格市长的热气球颠簸着最先出现在空中，但是莱德和古威市长的热气球降落速度更快，他们领先哈丁格市长冲过了终点线，赢得了最终的胜利！

哈丁格市长沮丧地把奖杯转交到古威市长手中。

古威市长又把奖杯递给了莱德，她大声宣布：“胜利属于莱德和狗狗们！”

“谢谢您，市长！”莱德微笑着说，“有困难就找汪汪队！”

汪汪队救援行动指南

热气球比赛行动指南

小朋友，你还记得聪明勇敢的汪汪队今天完成了什么任务吗？他们是怎么做的呢？我们一起来看今天的行动指南吧！

发现问题

热气球比赛需要狗狗们做什么呢？

我有办法

检查比赛装备。

修补破洞的热气球。

确保燃料设备安全。

把我送到意外启动的热气球上去。接下来，根据风向控制速度就可以了。

扣好安全带，我们起飞喽！

成功啦

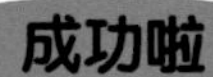

胜利属于莱德和狗狗们！

汪汪队功劳榜

小朋友，在热气球比赛的过程中，狗狗们的表现真是太棒了！我们把狗狗和他们分别完成的任务连起来，表扬一下他们立下的功劳吧！

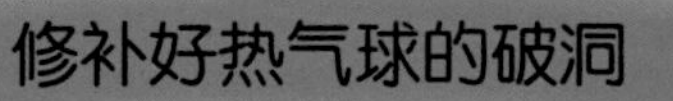
修补好热气球的破洞

发现热气球有破洞

把莱德送上热气球

检查燃气罐安全不泄露

快乐排序

小朋友，你还记得这个故事都说了什么吗？下面就请你按故事发生的先后把正确的排列顺序填到括号里吧！

(　　)→(　　)→(　　)→(　　)

快乐迷宫

阿奇在一次任务中，需要通过一个布满海盗和野兽的迷宫，你能帮他绕过海盗和野兽并顺利到达宫殿吗？

nickelodeon

nickelodeon

© 2017 Spin Master PAW Productions Inc.
© 2017 Viacom International Inc.
All rights reserved.

nickelodeon

© 2017 Spin Master PAW Productions Inc.
© 2017 Viacom International Inc.
All rights reserved.

nickelodeon

© 2017 Spin Master PAW Productions Inc.
© 2017 Viacom International Inc.
All rights reserved.

nickelodeon

© 2017 Spin Master PAW Productions Inc.
© 2017 Viacom International Inc.
All rights reserved.

nickelodeon

© 2017 Spin Master PAW Productions Inc.
© 2017 Viacom International Inc.
All rights reserved.

快乐涂色

小朋友，快拿起你手中的画笔，为下图中的人物涂上漂亮的颜色吧！

图书在版编目(CIP)数据

汪汪队立大功儿童安全救援故事书. 热气球比赛 / 美国尼克儿童频道著；安东尼译. — 成都：天地出版社, 2017.3

ISBN 978-7-5455-2366-9

Ⅰ. ①汪… Ⅱ. ①美… ②安… Ⅲ. ①儿童故事－图画故事－美国－现代 Ⅳ. ①I712.85

中国版本图书馆CIP数据核字(2016)第283525号

出品策划：文轩出品

网　　址：http://www.huaxiabooks.com

著作权登记号 图字：21-2017-04-13 号

热气球比赛

出品人	杨　政	总经销	新华文轩出版传媒股份有限公司
策划编辑	李红珍　戴迪玲	印　刷	北京瑞禾彩色印刷有限公司
责任编辑	陈文龙　夏　杰	开　本	889×1194　1/20
特邀编辑	张　剑	印　张	1.6
版权编辑	郭　淼	字　数	10 千字
装帧设计	谭启平	版　次	2017 年 3 月第 1 版
责任印制	董建臣	印　次	2017 年 6 月第 3 次印刷
出版发行	天地出版社	书　号	ISBN 978-7-5455-2366-9
	（成都市槐树街 2 号 邮政编码：610014）	定　价	12.80 元
网　址	http://www.tiandiph.com		